Ils sont cachés dans l'herbe, ils jouent.
Ce sont les Ptimounes.
Entre dans leur monde minuscule...

Les P'timounes

Madeleine Brunelet

Quel cirque !

Pour Flore, Nils et Iris.

Père Castor ■ Flammarion

Les Ptimounes font une partie
de cache-cache avec Bobo l'escargot.
C'est Mistral qui compte :
– 1... 2... 3...
... 10 ! Me voilà ! Attention, je vois ta bave,
Bobo ! hurle-t-il.

Il se précipite, il glisse, s'envole
et retombe par terre… Boum badaboum !
Zéphyr, Bise et Alizé pointent le nez
hors de leur cachette et éclatent de rire.
– Ha ! ha ! Quel clown ! se moque Tempête.

– Vu, vu, vu, vu et vu !
Vous avez tous perdu ! hurle Mistral, vexé.
Zéphyr tente de le consoler :
– Bravo Mistral, c'était aussi rigolo qu'au cirque Zapoto !

– Au cirque ? Quelle bonne idée ! s'écrie Alizé.
Allez, on joue au cirque !
Bise saute de joie :
– Oui ! oui ! moi je dompterai des bêtes féroces !
– Il nous faut un chapiteau ! lance Tempête.

Aussitôt, la petite bande se met au travail.
– Ce grand nénuphar servira de piste, décide Alizé.
– Il vous faut encore de la paille ? demande Bobo.

– Oh oui ! Beaucoup ! réplique Tempête.
On va s'en servir pour construire les murs.

– Ho ! hisse ! crie Tempête.
– On y est presque ! se réjouit Alizé.
– Voilà la dernière feuille,
on a bientôt fini ! ajoute Bobo.
– Quel beau chapiteau !
s'exclame Ciboule la souris.

Tout ce remue-ménage attire
des curieux :
– On peut jouer avec vous ?
demandent Gik le lézard
et Hop la petite grenouille.
– Bien sûr ! s'écrie Bise.
Gik, tu seras ma bête féroce.
– Et nous ? réclament Zip
et Zop les vers de terre.
– D'accord, répond Tempête.
Venez, j'ai une idée…

– Pour la musique,
je vais fabriquer des maracas, dit Mistral.
– Et moi un tambour ! Tu m'aides à coller cette feuille,
Bobo ? demande Bise.
– Cette herbe creuse fera une flûte parfaite, dit Tempête.

Tandis que Tempête répète un numéro
de charmeur de serpents avec Zip et Zop,
Zéphyr fabrique un grand chapeau
pour son tour de magie.

– Sors de là, Hop, ou je te peins en noir aussi !
Gik, lui, est tout fier de son déguisement.
– Ne bouge pas, ce n'est pas fini ! proteste Bise.

Alizé tient en équilibre sur le dos de Ciboule
qui galope sur la piste.

Au deuxième tour, Tempête s'élance,
suspendu dans les airs, et attrape Alizé au vol !
Bravo, les acrobates !

– À moi maintenant ! décide Bise.
Allez Gik, montre-leur comme tu es féroce !
Notre numéro fait vraiment peur, non ?

Mais Hop la grenouille s'impatiente, elle veut jouer.
Et le chapeau magique de Zéphyr se met soudain
à faire des bonds !

Bobo profite de la pagaille, lui aussi veut faire
son numéro. Il bave du mieux qu'il peut sur la piste.
Zéphyr, qui court pour rattraper son chapeau, s'étale !

Ciboule, ravie, se jette derrière lui, et les autres suivent !
– Hé ! Le clown, c'est moi ! crie Mistral
qui s'élance à son tour.
Quel cirque !

– Quel beau spectacle ! dit Bobo.
– Mais pourquoi personne n'applaudit... ?
demande Bise, encore tout étourdie.

Alizé éclate de rire :
– Les spectateurs ! On n'y a pas pensé !
– Alors, on invite tous nos amis et on recommence !
s'exclame Tempête.

– D'accord, dit Bise.
Prévenez tout le monde,
moi je répète encore un peu…